KAMASUTRA

EDRIS

Acerca de las ilustraciones

No existen prácticamente documentos ilustrativos de origen hindú referidos al
Kama Sutra, ya que la religión de este pueblo rechazaba la realización de imágenes.
Sin embargo, numerosas ilustraciones nos han llegado provenientes de artistas persas,
árabes, javaneses y filipinos.
Lamentamos no haber logrado la autorización para publicar algunas de ellas,
en posesión de coleccionistas asiáticos y europeos. Pero consideramos que las que
incluimos son suficientes para ilustrar una obra tan hermosa y deslumbrante.
Agradecemos la autorización de N. BERCLAYS & SONS LTD. ED. IN., de Singapur,
y la colaboración especial de Lluis N. Hans Llauró.

Primera edición: abril de 1999
Última reimpresión: julio de 2007

I.S.B.N.: 978-950-838-008-7

Se ha hecho el depósito que establece la ley 11.723
©GIDESA, 2007
Bartolomé Mitre 3749 - Ciudad Autónoma de Buenos Aires
República Argentina
Impreso en Argentina - Printed in Argentina

Se terminó de imprimir en Gama Producción Gráfica S.R.L., Zeballos 244,
Avellaneda, en julio de 2007 con una tirada de 2.000 ejemplares.

Mientras haya labios que besen
y ojos que vean,
este libro continuará vivo
y te hará vivir.

RICHARD BURTON
AUTOR DE LA VERSIÓN DEL <u>KAMA SUTRA</u>
EDITADA EN 1883

Hace casi veinte siglos, en la misma época en la que se escribían los Evangelios, en Benares, una ciudad sagrada de la India edificada junto a las riberas del Ganges, un anciano de gran sabiduría terminaba de escribir una obra a la que denominó Kama Sutra, es decir, "Aforismos sobre el amor". Su nombre, Mallinaga Vatsyayana, es prácticamente desconocido para el mundo occidental, al cual esta obra le llega como si fuese creación de un autor anónimo o, en todo caso, como la versión de un antiquísimo texto hindú debida a la inspiración de un inglés de arrebatada vida, Richard Burton, un apasionado de la cultura del Oriente.

Los Sutra

UN SUTRA ES LA EXPRESIÓN CONCISA DE UN CONCEPTO,
ES DECIR, UN AFORISMO, UN PRINCIPIO O PENSAMIENTO
CONDENSADO EN POCAS PALABRAS.
ESTA FORMA DE EXPRESIÓN POSEE DOS VENTAJAS: LA DE
SER EN GENERAL FÁCILMENTE ACCESIBLE A TODOS LOS QUE
LA LEEN O ESCUCHAN; Y LA DE SER TAMBIÉN FÁCIL DE
RETENER, DE MEMORIZAR Y, EN CONSECUENCIA,
DE TRANSMITIR ORALMENTE.

El Kama

EN LA CULTURA DE LA ANTIGUA INDIA, EL KAMA ES
ESPECÍFICAMENTE LA VIVENCIA DEL PLACER EMANADO
DEL CONTACTO DE UNO O VARIOS DE LOS ÓRGANOS DE
LOS SENTIDOS CON UN OBJETO QUE POSIBILITE
PRECISAMENTE EL LOGRO DE DICHO PLACER.
Y ESTE CONCEPTO ES TAN AMPLIO Y ABARCATIVO,
QUE EL PLACER PROVOCADO POR LA SEXUALIDAD ES SÓLO
UNA PARTE DEL MISMO.

Hemos decidido dar a luz la presente edición
de esta maravillosa obra, incluyendo lo esencial
de la misma y tornándola comprensible a nues-
tras costumbres.

Kama Sutra

Cómo adquirir el darma, el arta y el kama

El hombre, cuya vida por lo general se extiende por unos cien años, debe practicar el darma (o dharma) el arta (o artha) y el kama en distintas épocas de su existencia, de tal modo que puedan armonizarse entre sí, sin oponerse.

El hombre ha de instruirse en la infancia y en la juventud, ocuparse del arta y el kama en la madurez, y en la vejez dedicarse al darma.

El Darma

EL DARMA ES LA OBEDIENCIA A LAS SAGRADAS ESCRITURAS DE LOS HINDÚES PARA REALIZAR DETERMINADAS ACCIONES, Y ABSTENERSE DE CONCRETAR OTRAS. EL DARMA DEBE APRENDERSE DEL LIBRO SAGRADO Y DE QUIENES TENGAN UN PROFUNDO CONOCIMIENTO DE ÉL.

El Arta

EL ARTA ES LA ADQUISICIÓN DE LAS ARTES, LA TIERRA,
EL ORO, EL GANADO, LA RIQUEZA, LOS BIENES Y LOS AMIGOS,
Y COMPRENDE TAMBIÉN LA PROTECCIÓN DE LO ADQUIRIDO Y
EL INCREMENTO DE LO CONSERVADO.
EL ARTA PUEDE APRENDERSE DE LOS FUNCIONARIOS REALES
Y DE LOS MERCADERES CON CONOCIMIENTOS DEL COMERCIO.

El Kama

EL KAMA ES EL DISFRUTE DE LOS OBJETOS QUE HAN SIDO
APROPIADOS POR MEDIO DE LOS CINCO SENTIDOS: EL OÍDO,
EL TACTO, LA VISTA, EL OLFATO Y EL GUSTO, AYUDADOS POR EL
PENSAMIENTO Y EL ESPÍRITU. SU COMPONENTE ES UN CONTACTO
PECULIAR ENTRE EL ÓRGANO DEL SENTIDO Y SU OBJETO,
Y LA CONCIENCIA DEL PLACER QUE EMANA DE ESE CONTACTO
SE DENOMINA KAMA.
EL KAMA SE APRENDE POR MEDIO DEL KAMA SUTRA O
"AFORISMOS ACERCA DEL AMOR", Y TAMBIÉN POR LA PRÁCTICA.

Así es como yo he escrito en suscintas palabras la "Ciencia del Amor", luego de haber leído los textos de los autores antiguos y siguiendo los caminos que conducen al placer citados por ellos.

Quien esté familiarizado con los verdaderos principios de esta ciencia, se basa en el darma, el arta y el kama, y en sus propias experiencias, así como en las enseñanzas de otros, y jamás actúa conforme exclusivamente a los dictados de sus propios deseos.

En cuanto a lo que he considerado erróneo, lo he mencionado en esta obra, de acuerdo con mi autoridad como escritor, y, una vez mencionado lo he censurado y prohibido expresamente.

Una acción nunca debe juzgarse con indulgencia por la simple razón de estar autorizada por la ciencia, pues debiera recordarse siempre que su intención consiste en que las normas que la componen deben poder ser aplicadas sólo a casos individuales.

Después de leer y analizar las obras de los autores antiguos, y reflexionar sobre el significado de las reglas establecidas por ellos, yo, Vatsyayana, escribí el Kama Sutra, conforme a los preceptos de las Sagradas Escrituras y para beneficio del mundo, mientras llevaba la vida de un estudioso religioso entregado a la contemplación de la divinidad.

Esta obra no pretende ser usada como un mero instrumento para la satisfacción de nuestros deseos. Sólo una persona familiarizada con los verdaderos principios de esta ciencia, que preserve su darma, su arta y su kama, y que esté atento a las prácticas de los otros, podrá alcanzar seguramente el dominio de sus sentidos.

En suma: una persona prudente e inteligente, que atienda su darma, su arta y su kama, sin convertirse en esclavo de sus pasiones, podrá realizar con éxito todo aquello que se proponga.

El hombre debería estudiar el Kama Sutra y las artes y las ciencias que se relacionan con el mismo, aparte de aquéllas relacionadas con el darma y el arta. Incluso las jóvenes mujeres deberían estudiar este Kama Sutra, junto con sus artes y conocimientos, antes del matrimonio, y luego continuar haciéndolo con la complicidad de sus esposos.

Algunos hombres sabios se oponen a esto. Pero Vatsyayana opina que esta objeción carece de sentido. Si una mujer se separa de su esposo y sufre carencias, puede atender fácilmente a estas necesidades, incluso residiendo en un país extranjero, mediante su conocimiento de estas artes. Por otra parte, la mera posesión de este conocimiento da atractivo a una mujer, aunque su práctica sólo le sea posible en determinadas circunstancias, de acuerdo con cada caso.

Un hombre versado en estas artes, de buen decir y familiarizado con el arte de la galantería, conquistará muy pronto el corazón de las mujeres, aunque su trato con ellas sea reciente.

La vida de un jefe de familia

Un hombre instruido de esta manera, con la fortuna que pueda haber obtenido, podrá convertirse en cabeza de una familia. Deberá disponer de una casa en una ciudad o pueblo importante, o en la vecindad de gente honrada, o en un sitio frecuentado por mucha gente. Esta residencia debe dividirse en diversos cuartos para distintos propósitos. Ha de estar rodeada de un jardín y también constar de dos lugares de estar, uno que dé al exterior y otro al interior. El interior será ocupado por las mujeres, mientras que el que da al exterior, perfumado con exquisitos aromas, contendrá un lecho mullido, agradable a la vista, cubierto con una colcha blanca limpia, hundido en el centro, adornado con guirnaldas y ramos de flores y con dos almohadones, uno en la cabecera y otro en los pies. Debe haber también un diván y, en su cabecera, un estante en el cual colocar los ungüentos perfumados para la noche, así como flores, recipientes con colirio y otras sustancias aromatizantes, líquidos para perfumar la boca y corteza de limonero común. Cerca del diván, en el suelo, una salivadera, una caja con adornos y también un laúd suspendido de un soporte hecho con el colmillo de un elefante, una tablita para dibujar, un pote con perfume, algunos libros y guirnaldas de flores de amaranto amarillo. No lejos del diván, también sobre el suelo, un asiento redondo, un carro de juguete y un tablero para jugar a los dados, y fuera de la habitación exterior, jaulas con aves y un lugar separado para tejer o esculpir o entretenimientos semejantes.

UN HOMBRE DE ESCASA INTELIGENCIA,
CAÍDO DE SU POSICIÓN SOCIAL Y MUY DADO A
EMPRENDER VIAJES, NO MERECE CASARSE,
NI TAMPOCO EL QUE TIENE MUCHAS ESPOSAS E HIJOS,
O EL CONSAGRADO A LOS DEPORTES Y AL JUEGO QUE VISITA
A SU ESPOSA SÓLO CUANDO SIENTE EL DESEO DE HACERLO.

Al levantarse por las mañanas, el jefe de familia debe lavarse los dientes, aplicarse en el cuerpo una porción moderada de ungüentos y perfumes, ponerse algunos adornos y colirio bajo los párpados y bajo los ojos, colorear sus labios y mirarse en el espejo. Tras masticar hojas que perfumen la boca, puede consagrarse a sus ocupaciones habituales. Debe bañarse diariamente, untar su cuerpo con aceites un día sí y otro no, aplicar alguna sustancia espumosa a su cuerpo cada tres días, afeitar su cabeza, incluida la cara, cada cuatro días, y el resto del cuerpo cada cinco o diez días. Todas estas cosas deben hacerse meticulosamente, y también eliminar el sudor de las axilas. Las comidas se tomarán por la mañana, la tarde y la noche. Después del desayuno, enseñará a hablar a loros y otros pájaros, y continuará con las riñas de gallos, codornices y carneros. Luego dormirá la siesta del mediodía. Concluida ésta, el jefe de familia, una vez vestido y adornado, conversará por la tarde con sus amistades. Al anochecer habrá cánticos y después, junto con sus amigos, esperará en su habitación, previamente decorada y perfumada, la visita de su mujer, o puede enviar una mensajera a buscarla, o ir él en persona. Una vez ésta se encuentre en la habitación, él y sus amigos le darán la bienvenida y la entretendrán con una conversación agradable y cariñosa. Así concluyen los deberes del día.

DE ENTRE TODOS LOS AMANTES DE UNA MUCHACHA,
EL VERDADERO ESPOSO ES AQUEL QUE POSEE LAS
CUALIDADES QUE A ELLA LE AGRADAN,
Y SÓLO ESTE ESPOSO DISFRUTA DE UNA
SUPERIORIDAD REAL SOBRE ELLA,
PORQUE ES UN ESPOSO POR AMOR.

Cuando una muchacha alcanza la edad del matrimonio, sus padres deben vestirla elegantemente y llevarla a lugares donde todos puedan verla. Todas las tardes, después de vestirla y engalanarla, la enviarán con sus amigas a los deportes, a las fiestas y a las bodas, exhibiéndola para que pueda progresar en la sociedad. También recibirán con palabras corteses y demostraciones de afecto a aquellas personas de aspecto prometedor que pudiesen venir acompañadas de sus amistades y relaciones con el propósito de casarla, y luego de haberla vestido convenientemente, se la presentarán. Después esperarán los favores de la buena suerte, y a este fin deberán fijar un día en el cual adoptar una determinación relativa al matrimonio de la hija. En esta ocasión, cuando las personas hayan llegado, los padres de la muchacha las invitarán a bañarse y a cenar explicándoles: -"Todo llegará a su debido tiempo", y no accederán de inmediato a la petición de la mano, sino que la dejarán para otro momento.

UNA MUCHACHA MUY APRECIADA DEBE CASARSE CON EL HOMBRE QUE LE AGRADE, UNO QUE LA OBEDEZCA Y SEA CAPAZ DE PROPORCIONARLE PLACER.
PERO CUANDO UNA MUCHACHA ES CASADA POR SUS PADRES CON UN HOMBRE RICO POR AFÁN DE RIQUEZAS, SIN TOMAR EN CONSIDERACIÓN EL CARÁCTER O EL ASPECTO DEL PROMETIDO, O CUANDO ES DADA A UN HOMBRE QUE YA TIENE VARIAS ESPOSAS, NUNCA SE SENTIRÁ ATRAÍDA POR ÉL, AUN CUANDO ESTÉ DOTADO DE BUENAS CUALIDADES Y SE MUESTRE BIEN DISPUESTO, ACTIVO, FUERTE, SALUDABLE Y ANSIOSO POR COMPLACERLA EN TODOS LOS SENTIDOS.

Cómo inspirar confianza
a una muchacha

En los tres primeros días siguientes a la boda, la muchacha y su marido dormirán en el suelo, se abstendrán de placeres sexuales y no le echarán a sus alimentos ni especias ni sal. Durante los próximos siete días se bañarán envueltos en los acordes de instrumentos musicales que les gusten, se engalanarán, comerán juntos y atenderán muy cortésmente a cuantas personas hayan asistido a la boda. En la noche del décimo día, el hombre comenzará a hablarle con dulzura en un lugar solitario, para inspirar confianza a la muchacha. Algunos autores opinan que, para ganársela, no ha de hablarle durante tres días, pero otros consideran que si un hombre guarda silencio durante tres días, ella puede disgustarse al verlo tan inanimado como una columna y, desilusionada, comenzar a despreciarlo.

Yo, Vatsyayana, digo que el hombre debe comenzar a ganársela inspirándole confianza, pero absteniéndose al principio de los placeres sexuales. Al ser las mujeres de dulce naturaleza, ellas quieren que se las aborde con dulzura. Si han de sufrir el asalto brutal de un hombre al cual apenas conocen, a veces repentinamente terminan por odiar el acto sexual, y a veces hasta a los integrantes del sexo masculino. El hombre debe aproximarse a la muchacha con todos los miramientos y empleando procedimientos capaces de inspirarle cada vez mayor confianza.

Veamos estos procedimientos.

La primera noche
(o la noche del décimo día)

Abrazará a la muchacha por primera vez como a ella más le agrade, ya que esto no dura mucho.

La abrazará contra la parte superior de su cuerpo, puesto que es más fácil y sencillo. Si la muchacha es mayor, o si el hombre la conoce desde hace tiempo, puede abrazarla a la luz de una lámpara; pero si apenas la ha tratado o es muy joven, la abrazará en la oscuridad.

Cuando la muchacha acepte el abrazo, el hombre pondrá en su boca el pequeño pimpollo de una flor y, si ella no lo aceptase, la inducirá a hacerlo por medio de palabras amorosas, o de ruegos, o de juramentos o arrodillándose a sus pies, puesto que es una regla universal que ninguna mujer, por furiosa o asustada que esté, es capaz de desairar a un hombre que se arrodilla a sus pies. En el momento de ofrecerle el pimpollo, la besará dulce y delicadamente en la boca sin emitir sonido alguno. Una vez conseguido esto la hará hablar, y para inducirla a hacerlo la interrogará sobre cosas que ignore o simule ignorar y que puedan ser respondidas por ella con unas pocas palabras. Si ella no le hablase, no la presionará, sino que repetirá lo mismo con un tono aún más conciliador. Si tampoco así le dirigiese la palabra, volverá a insistir con paciencia para que lo haga.

> Todas las jóvenes escuchan lo que les dicen los hombres, aunque a veces no digan una sola palabra.
>
> GHOTAKAMUKHA

Asediada de este modo, la muchacha responderá con movimientos de cabeza; pero si se ha disgustado con el hombre, ni siquiera hará esto. Cuando el hombre le pregunte si él le gusta o si lo desea, permanecerá silenciosa largo rato, y cuando al fin se vea obligada a responder, lo hará afirmativamente con un movimiento de cabeza. Si el hombre conociera de antes a la muchacha, conversará con ella por medio de una amiga que le sea favorable y tenga la confianza de ambos, y que lleve la conversación entre los dos. En este caso la muchacha sonreirá con la cabeza gacha, y si la amiga dijese más de lo que ella desea que se diga en esa ocasión, protestará y discutirá con ella. La amiga dirá en tono de broma incluso lo que la muchacha desearía que no se dijese, agregando: -ella opina así, a lo cual la muchacha replicará vaga y graciosamente: -¡oh, no! Yo jamás he dicho eso, y se sonreirá mientras dirige una mirada furtiva hacia el hombre.

Si la muchacha conoce bien al hombre, sin pronunciar palabra éste pondrá a su lado el pimpollo, el perfume y los adornos que ha traído, y ella los ocultará en la parte superior de su vestido. Mientras lo hace, el hombre tocará sus jóvenes pechos, oprimiéndolos delicadamente con las yemas de sus dedos. Y si ella tratara de impedírselo, le dirá: -no volveré a hacerlo si me abrazas, impulsándola de este modo a hacerlo. Mientras ella lo abraza, pasará su mano una y otra vez por distintas partes de su cuerpo. Luego la sentará en sus rodillas y tratará de ganar poco a poco su consentimiento. Y si ella no se entregara aún, la atemorizará diciéndole: -dejaré entonces las marcas de mis dientes y de mis uñas en tus labios y en tus pechos, y haré otras similares en mi propio cuerpo y les contaré a mis amigos que fuiste tú quien me las hizo. De esta y otras maneras por el estilo, que es como se despierta el temor o la confianza en el ánimo de los niños, es como el hombre conseguirá que ella acepte sus deseos.

Las noches segunda y tercera

Durante la segunda y tercera noche, a medida que la confianza se acrecienta, la acariciará con las manos y besará todo su cuerpo. También pondrá sus manos sobre sus muslos y los acariciará. Y si esto marcha bien, acariciará después los lados interiores de sus muslos. Si ella trata de impedirlo, le dirá: -¿Qué tiene de malo esto?, y la convencerá para que se lo deje hacer.

Una vez dado este paso tocará sus partes íntimas, aflojará su cinturón y el lazo de su vestido y, alzando su parte inferior, acariciará su pubis. Y todo esto debe hacerlo empleando distintos argumentos.

A continuación, ha de comenzar a enseñarle las sesenta y cuatro artes del amor, contarle cuánto la ama y describirle las esperanzas que tiene puestas en ella. También le prometerá fidelidad y disipará sus temores acerca de posibles rivales y, por último, una vez vencida su timidez, comenzará a disfrutar de ella pero siempre sin que se asuste. Todo esto es necesario para despertar la confianza de la muchacha.

UN HOMBRE QUE ACTÚE SEGÚN LAS INCLINACIONES DE UNA MUCHACHA INTENTARÁ CONQUISTARLA DE MODO QUE ELLA PUEDA AMARLO Y CONCEDERLE SU CONFIANZA. ESTO NO SE LOGRA SIGUIENDO A CIEGAS LAS INCLINACIONES DE UNA JOVEN, NI OPONIÉNDOSE TOTALMENTE A ELLAS, SINO MEDIANTE UNA MEZCLA DE AMBAS: CEDER EN ALGO Y OPONERSE EN ALGO.

QUIEN SEPA HACERSE AMAR POR LAS MUJERES, ASÍ COMO CUIDAR DE SU HONOR E INSPIRARLES CONFIANZA, ÉSE TIENE EL AMOR ASEGURADO.

QUIEN ABANDONA A UNA JOVEN PORQUE LA CREE DEMASIADO TÍMIDA, ES DESPRECIADO POR ELLA COMO UN ESTÚPIDO QUE IGNORA EL FUNCIONAMIENTO DE LA MENTE FEMENINA.

UNA MUCHACHA POSEÍDA SIN SU CONSENTIMIENTO POR ALGUIEN QUE NO COMPRENDE LOS CORAZONES DE LAS MUJERES JÓVENES, SE SIENTE NERVIOSA, INQUIETA Y AFLIGIDA, Y REPENTINAMENTE COMIENZA A ODIAR AL HOMBRE QUE SE APROVECHÓ ASÍ DE ELLA. Y COMO SU AMOR NO HA SIDO COMPRENDIDO O CORRESPONDIDO, SE HUNDIRÁ EN LA DEPRESIÓN Y COMENZARÁ A ODIAR A TODOS O, AL DETESTAR A SU MARIDO, RECURRIRÁ A OTROS HOMBRES.

La virtud de una mujer

Una mujer virtuosa, que ame a su esposo, actuará de acuerdo con sus deseos como si él se tratase de un ser divino, y con su consentimiento se encargará de cuidar a toda la familia. Mantendrá la casa limpia, dispondrá flores de distintas clases por ella, y refregará esmeradamente los pisos, para que todo ofrezca un aspecto de pulcritud y decencia. Rodeará la casa con un hermoso jardín.

La mujer, cualquiera sea su origen o el tipo de relación que sostiene, llevará una vida virtuosa, consagrada a su marido, y hará todo lo necesario para su bienestar. Las mujeres que obran así generalmente ganan el amor de sus maridos.

Las esposas de los otros hombres

ESTE LIBRO, CUYO PROPÓSITO ES LOGRAR EL BIENESTAR
DE LA GENTE Y ENSEÑARLES A LOS HOMBRES LOS MEDIOS PARA CUIDAR
A SUS PROPIAS ESPOSAS, NO DEBE USARSE CON LA MERA FINALIDAD
DE CONQUISTAR A LAS ESPOSAS DE LOS OTROS HOMBRES.

Puede accederse a las esposas de otros hombres, pero debe quedar en claro que esto sólo está permitido cuando se dan razones especiales y no por el mero deseo carnal. Deberán examinarse previamente los pro y los contra, la aptitud de ella para la convivencia, el peligro en que se incurre al unirse con ella, y el efecto futuro de estas uniones.

Un hombre puede recurrir a la mujer de otro hombre a fin de recomponer su propia vida, cuando percibe que su amor por ella va intensificándose gradualmente.

Estos grados de intensidad en cuanto a la atracción son diez y se reconocen por los siguientes síntomas:

1. SENSACIÓN DE AMOR A TRAVÉS DE LAS MIRADAS

2. AFECTO ESPIRITUAL POR ELLA

3. PENSAR CONSTANTEMENTE EN ELLA

4. FALTA DE SUEÑO

5. ADELGAZAMIENTO DEL CUERPO

6. HASTÍO ANTE TODA CLASE DE DIVERSIONES

7. PÉRDIDA DEL PUDOR

8. LOCURA

9. DESFALLECIMIENTO

10. MUERTE

Las razones por las que la mujer de un hombre rechaza el asedio de otro hombre son las siguientes:

1. AMOR POR SU ESPOSO

2. DESEO DE HOGAR E HIJOS LEGALES

3. FALTA DE OPORTUNIDAD

4. ENOJO AL VERSE ABORDADA POR EL HOMBRE CON DEMASIADA FAMILIARIDAD

5. DIFERENCIA DE CLASE SOCIAL

6. FALTA DE SEGURIDAD DEBIDA A LA INCLINACIÓN DEL HOMBRE POR LAS LARGAS AUSENCIAS

7. SOSPECHAS ACERCA DE QUE EL HOMBRE PUEDA ESTAR RELACIONADO CON OTRA MUJER

8. TEMOR A QUE EL HOMBRE NO GUARDE EN SECRETO SUS INTENCIONES

9. SOSPECHAS DE QUE EL HOMBRE ESTÁ DEMASIADO INFLUIDO POR SUS AMIGOS Y SEA DEMASIADO CONDESCENDIENTE CON LAS OPINIONES DE ELLOS

10. TEMOR DE QUE EL HOMBRE SEA POCO FORMAL

11. TIMIDEZ AL TRATARSE DE UN HOMBRE ILUSTRE, DE GRAN PRESTIGIO

12. MIEDO A QUE EL HOMBRE SEA MUY PODEROSO O ESTÉ POSEÍDO POR PASIONES DEMASIADO IMPETUOSAS

13. TIMIDEZ ANTE LA EXCESIVA HABILIDAD DEL HOMBRE

14. EL RECUERDO DE HABER VIVIDO CON EL HOMBRE ANTERIORMENTE EN TÉRMINOS EXCLUSIVAMENTE AMISTOSOS

15. MENOSPRECIO POR EL ESCASO CONOCIMIENTO DEL HOMBRE ACERCA DE LAS COSAS DEL MUNDO

16. DESCONFIANZA DEBIDO AL MAL CARÁCTER O AL CARÁCTER RUIN DEL HOMBRE

17. DISGUSTO ANTE LAS EXIGENCIAS DEL HOMBRE POR SABER CÓMO ES EL AMOR QUE SIENTE POR ÉL

18. SOSPECHA DE QUE ES UN HOMBRE DE PASIONES DÉBILES

19. TEMOR DE QUE LE OCURRA ALGO DEBIDO A SU PASIÓN POR EL HOMBRE

20. DESESPERACIÓN POR SUS PROPIAS IMPERFECCIONES

21. MIEDO A SER DESCUBIERTA

22. DESILUSIÓN AL ADVERTIR LAS CANAS DEL HOMBRE O ALGO DESCUIDADO EN SU ASPECTO

23. TEMOR DE QUE EL HOMBRE HAYA SIDO ENVIADO POR SU MARIDO PARA PROBAR SU VIRTUD

24. SOSPECHA DE QUE TIENE EXCESIVO RESPETO POR LA MORALIDAD

La fidelidad de una mujer

Un hombre debe vigilar a su propia esposa. Algunos dicen que un marido debe inducir a su esposa a relacionarse con una mujer joven, la cual le informará a él acerca de los secretos de otra gente y de la castidad de su propia esposa. Pero yo, Vatsyayana, aseguro que los hombres malvados siempre tienen éxito con las mujeres, y que un hombre no debe exponer a su inocente esposa a la corrupción facilitándole la compañía de una mujer mentirosa.

Éstas son las causas que destruyen la castidad de una mujer:

- EXCESO DE VIDA SOCIAL

- FALTA DE MODERACIÓN

- COSTUMBRES DISIPADAS DE SU ESPOSO

- FALTA DE CAUTELA EN SUS RELACIONES CON OTROS HOMBRES

- LARGAS Y REITERADAS AUSENCIAS DE SU MARIDO

- VIVIR EN UN PAÍS EXTRANJERO

- DESTRUCCIÓN DE SU AMOR Y DE SUS SENTIMIENTOS HACIA SU MARIDO

- LA COMPAÑÍA DE MUJERES LANZADAS A SATISFACER SUS DESEOS

- LOS CELOS DE SU MARIDO

UN HOMBRE HÁBIL, QUE HAYA APRENDIDO LAS MANERAS DE SEDUCIR A LAS ESPOSAS DE LOS OTROS, NUNCA SERÁ ENGAÑADO POR SU PROPIA MUJER.
SIN EMBARGO, NADIE DEBE HACER USO DE ESTAS MANERAS PARA SEDUCIR A LAS ESPOSAS DE LOS OTROS HOMBRES, PORQUE NO SIEMPRE TIENEN ÉXITO Y CAUSAN DESASTRES.

La relación sexual

Las relaciones sexuales según las dimensiones:

LLAMAREMOS LINGA AL ÓRGANO GENITAL DEL HOMBRE Y YONI AL DE LA MUJER.

Los hombres se dividen en tres clases, según el tamaño de su linga:

1. el hombre-liebre

2. el hombre-toro

3. el hombre-caballo

Las mujeres se clasifican en tres tipos, según la amplitud y la profundidad de su yoni:

1. la mujer-cierva

2. la mujer-yegua

3. la mujer-elefanta

De esto se desprende que existen tres "relaciones iguales", entre hombres y mujeres cuyas dimensiones de sus lingas y yonis se corresponden:

hombre-liebre   con   mujer-cierva
hombre-toro   con   mujer-yegua
hombre-caballo   con   mujer-elefanta

Y seis "relaciones desiguales"

hombre-liebre   con   mujer-yegua
hombre-liebre   con   mujer-elefanta
hombre-toro   con   mujer-cierva
hombre-toro   con   mujer-elefanta
hombre-caballo   con   mujer-cierva
hombre-caballo   con   mujer-yegua

En estas "relaciones desiguales", cuando el linga del hombre excede en tamaño al de la yoni de la mujer, su relación con la mujer más próxima a él en tamaño se llama "relación alta", y es de dos clases; mientras que su relación con la mujer más alejada de él en tamaño se llama "relación más alta", y es de una sola clase.

Así, son "relaciones altas":

hombre-caballo con mujer-yegua
hombre-toro con mujer-cierva

Y son "relaciones más altas":

hombre-caballo con mujer-cierva

Cuando la yoni de la mujer excede en dimensiones al linga del hombre, su relación con el hombre más próximo en tamaño se llama "relación baja", y es de dos clases; mientras que su relación con el hombre más alejado a ella en tamaño se denomina "relación más baja", y es de una sola clase.

Así, son "relaciones bajas":

hombre-toro con mujer-elefanta
hombre-liebre con mujer-yegua

Y son "relaciones más bajas":

hombre-liebre   con   mujer-elefanta

Hay, por lo tanto, nueve clases de relaciones según las dimensiones de los órganos sexuales. Entre todas ellas, las mejores son las "relaciones iguales", y las peores son las de mayor grado, como las "relaciones más altas" y las "relaciones más bajas". Los otros tipos de relaciones son de calidad media, y entre ellas las "relaciones altas" son mejores que las "relaciones bajas".

Las relaciones sexuales según la intensidad del deseo:

Hay asimismo nueve clases de relaciones según la fuerza de la pasión o el deseo carnal.

Tres de ellas son "relaciones iguales": cuando el hombre y la mujer sienten uno por el otro pasiones débiles, medianas o intensas, las que se corresponden entre sí.

pasión débil	con	pasión débil
pasión mediana	con	pasión mediana
pasión intensa	con	pasión intensa

Las "relaciones desiguales" son aquellas que resultan de la combinación de éstas:

pasión débil	con	pasión mediana
pasión débil	con	pasión intensa
pasión mediana	con	pasión débil
pasión mediana	con	pasión intensa
pasión intensa	con	pasión débil
pasión intensa	con	pasión mediana

Se dice que un hombre o una mujer tienen una pasión débil cuando en el momento de la relación sexual su deseo no es muy vivo, su semen poco abundante y no puede corresponder a los cálidos abrazos del otro.

A los que difieren de este temperamento, pero manteniéndose en una actitud no muy intensa, se dice que poseen una pasión mediana. Los que están llenos de deseo son lo que tienen una pasión intensa.

Las relaciones sexuales según su duración:

Según la duración, hay tres clases de hombre y de mujeres: los de breve duración, los de mediana duración y los de larga duración. También de esto resultan nueve clases distintas de relaciones sexuales.

Pero en este caso las opiniones sobre el tema de la duración del acto sexual en la mujer son divergentes.

Un autor antiguo afirma que:

"Las mujeres no eyaculan como los hombres. Los hombres simplemente satisfacen sus deseos, mientras las mujeres, a causa de su conciencia del deseo, experimentan un cierto tipo de placer que les procura satisfacción, aunque les resultaría imposible describir el tipo de placer que experimentan. Esto se pone de manifiesto en el hecho de que el hombre, en el acto sexual, se autoexcluye después de la eyaculación, al quedar satisfecho, lo que no ocurre con la mujer".

Esta opinión ha sido objetada al suponerse que si el hombre es de larga duración, la mujer lo amará más, y se sentirá insatisfecha si el hombre es de breve duración, y todo esto probaría que la mujer también eyacula.

Pero esta opinión también es objetable, ya que si la mujer requiere mucho tiempo para satisfacer su deseo, y durante ese tiempo experimenta gran placer, resultaría natural que quisiera prolongarlo.

LA LUJURIA, EL DESEO Y LA PASIÓN DE LAS MUJERES SE SATISFACEN
MEDIANTE SU RELACIÓN CON LOS HOMBRES, Y EL PLACER DERIVADO
DE LA CONCIENCIA DE ELLO CONSTITUYE SU SATISFACCIÓN.

Los continuadores de otro autor antiguo afirman que el esperma de las mujeres mana desde el principio de la relación sexual hasta el fin de la misma, y resulta lógico que así sea, puesto que si ellas careciesen de esperma no existiría el embrión.

Sin embargo, esta afirmación carece de solidez, ya que incluso en ciertas cosas ordinarias que giran con mucha fuerza, como un trompo, el movimiento al principio es lento, pero gradualmente se hace más rápido. Del mismo modo, la pasión de la mujer se acrecienta gradualmente hasta que, una vez derramado el esperma, siente el deseo de concluir con la relación.

LA EYACULACIÓN DEL HOMBRE SE PRODUCE SÓLO AL FINAL DE
LA RELACIÓN SEXUAL, MIENTRAS QUE LA MUJER EYACULA
CONTINUAMENTE, Y CUANDO AMBOS HAN CONCLUIDO DE
EYACULAR DESEAN QUE LA RELACIÓN TAMBIÉN CONCLUYA.

Yo, Vatsyayana, opino que el hombre y la mujer eyaculan del mismo modo.

Es posible que alguien se pregunte: si hombres y mujeres son seres de la misma clase, y se afanan por conseguir lo mismo, ¿por qué deben cumplir funciones tan distintas?

Considero que esto es así porque tanto las formas de funcionamiento como la conciencia del placer son diferentes en los hombres y en las mujeres. Estas diferencias de funcionamiento, por las cuales los hombres son actores y las mujeres personas sobre las que se actúa, se debe a la naturaleza del macho y de la hembra, ya que de otro modo la persona que actúa podría ser la persona sobre la que se actúa, y viceversa. Y de esta diferencia en las maneras de funcionar surge la diferencia en la conciencia del placer, puesto que un hombre piensa: esta mujer está unida a mí, mientras que una mujer piensa: yo estoy unida a este hombre.

Podría alegarse que si las formas de funcionar de hombres y de mujeres son distintas, ¿por qué no habría de existir una diferencia en el placer que experimentan, ya que, como es lógico, ambos derivan su placer del acto que realizan?

Sobre esto algunos podrían decir que cuando diferentes personas se ocupan de una misma tarea, advertimos que alcanzan el mismo fin o propósito; mientras que, por el contrario, en el caso de hombres y de mujeres, cada cual alcanza el suyo por separado, lo que es ilógico. Pero esta afirmación es un error, ya que, en el caso de los hombres y las mujeres, la naturaleza de ambos es la misma y, como la diferencia sólo es de conformación, se deduce que los hombres experimentan la misma clase de placer que las mujeres.

AL SER HOMBRES Y MUJERES DE UNA MISMA
NATURALEZA, EXPERIMENTAN LA MISMA CLASE DE PLACER,
Y POR TANTO UN HOMBRE DEBERÍA CASARSE CON UNA
MUJER QUE LO AME ETERNAMENTE.

Demostrado así que el placer de hombres y de mujeres es de la misma clase, se concluye que existen nueve clases de actos sexuales en relación a la duración de los mismos, del mismo modo que hay otro tanto en relación a la intensidad de la pasión amorosa.

Y puesto que existen nueve clases de relación según las dimensiones de los órganos genitales, según la intensidad de la pasión y según la duración del acto, las combinaciones entre ellas producirán innumerables clases de relación. En consecuencia, en cada caso particular de relación sexual, los hombres deberán emplear los medios que juzguen más adecuados para cada ocasión.

Cuando se realiza una relación sexual por primera vez, la pasión del hombre es intensa y su duración breve, pero en las uniones subsiguientes en el mismo día, se da la situación inversa. Con la mujer ocurre lo contrario, puesto que la primera vez su pasión es débil y la duración de la relación es larga, pero en las uniones subsiguientes en el mismo día, su pasión es intensa y la duración para llegar al goce breve, hasta quedar plenamente satisfecha.

Nota: Continúa en la página 65.

KamaSutra

Al ser los hombres
y las mujeres de la misma naturaleza,
experimentan la misma clase de placer,
y por lo tanto un hombre debiera casarse con una
mujer que lo ame eternamente.

Aguardando al amor

Al aguardar la llegada del amor se sueña con el amor. Mujeres y hombres se aguardan, mientras van unos hacia los otros.

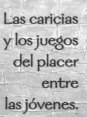

Las caricias y los juegos del placer entre las jóvenes.

Seguramente esta joven mujer ensueña la llegada de su amante.

Los hombres ven, miran, observan, espían, contemplan a las mujeres, fuentes de los placeres del amor.

Las mujeres observan a los hombres, y murmuran y comentan y cuchichean, y sonríen ensoñando los placeres del amor.

Preparándose para el amor

Hombres y mujeres deben prepararse minuciosamente para arribar al amor.

Ser sanos, ser fuertes, intensificar lo más bello de cada uno, hacerse ilusión acerca del placer.

Contemplando la seducción de su belleza.

Seducción y Enamoramiento

Un hombre que actúe según las inclinaciones de una joven
procurará conquistarla de tal modo que ella pueda
amarlo y concederle su confianza.

La lujuria, el deseo y la pasión de las mujeres se satisfacen mediante su unión con los hombres, y el placer derivado de la conciencia de ello constituye su satisfacción.

El abrazo del arroz con sésamo.

La provocación: una muchacha le permite entrever su sexo al hombre que la está cortejando.

El abrazo de las
partes bajas.

*Un hombre piensa: "esta mujer está unida a mí". Y la mujer
piensa: "yo estoy unida a este hombre".*

El abrazo de los muslos y
de los pechos.

El amor mutuo y que ha probado ser verdadero, que es cuando cada cual mira al otro como si fuera él mismo, es el que ha sido llamado por los sabios "el amor resultante de la fe".

*Al ser las mujeres dulces por naturaleza, quieren
que se las trate con dulzura.*

*Quien sepa hacerse amar
por las mujeres, así como
cuidar de su honor
e inspirarles confianza,
ése tiene el amor
asegurado.*

Durante los siguientes siete días después de la boda, la muchacha y su marido dormirán en el suelo, se bañarán envueltos en los acordes de dulces instrumentos musicales, se adornarán, comerán juntos... y en el décimo día, el hombre comenzará a hablarle con dulzura en un lugar solitario.

El juego del erotismo:
él pinta una flor entre los dos pechos de la hermosa amante.

El juego de la seducción: una muchacha esconde su cuerpo desnudo detrás de un manto al advertir que su amante está escondido espiándola desde los arbustos.
Pero de pronto lo entreabre con lentitud...

Un buen amante debe saber acariciar con dulzura a su amante hasta que ésta pierda su timidez y se entregue apasionadamente.

Toda la plenitud de la belleza de una joven mujer.

El juego de los besos y las caricias, escondidos los amantes de miradas indiscretas.

El juego de sentirse secretamente observada por un hombre
mientras se desnuda. El erótico juego de saberse observada.

Cualesquiera que fuesen las cosas hechas por uno de los amantes al otro, si la mujer lo besa, el hombre, a su vez, la besará.

Todo lo que tiene que ver con el abrazo entre un hombre y una mujer es de tal intensidad que los hombres que preguntan, oyen o hablan de él sienten de inmediato un deseo de goce.

Caulquier cosa puede hacerse en cualquier momento, porque en el amor no hay ni tiempo ni orden.

El abrazo intenso con el que se llega al amor.

Cuando un hombre y una mujer se aman violentamente y, sin reparar en el daño o en el dolor, se abrazan como si sus cuerpos quisiesen penetrarse mutuamente, mientras la mujer está sentada sobre las rodillas del hombre, o bien enfrente de él o sobre una cama, esto se llama "un abrazo de leche con agua".

Las posiciones amatorias

En el ardor de la relación sexual, una pareja amorosa enceguece con la pasión y prosigue con gran impetuosidad, sin prestar la menor atención a los excesos.

La posición de apresamiento.

La posición de opresión media.

Una variación
de la posición
de la vaca.

Una posición en
la que la mujer
descansa
apoyada contra
los almohadones.

Una posición considerada altamente placentera, porque permite las caricias, el abrazo, las miradas.

La posición de la colocación del clavo.

En la posición muy abierta, la
mujer extiende ambas piernas,
las levanta y las coloca sobre
los hombros de su amante.

En el KAMA SUTRA se recomienda a los
amantes el uso de mezclas lubricantes,
como la de manteca clara y miel.

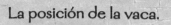
La posición de la vaca.

El KAMA SUTRA recomienda a los amantes ser imaginativos en la creación de posturas para el acto amoroso.

Una variante de la posición suspendida, ya que en este caso ella está sentada sobre un apoyo, y no es la que provoca el movimiento, en el acto amatorio, empujándose con los pies en la pared contra la que la pareja está apoyada.

Una variante de la posición de apresamiento, en la que la mujer está en una posición pasiva.

La posición abierta.

La posición giratoria.

La posición de enlazamiento.

La posición elevada.

Una manera de arribar a la posición ampliamente abierta.

La posición de opresión.

Posición de la mujer sobre el hombre.

La denominada posición de Indrani.

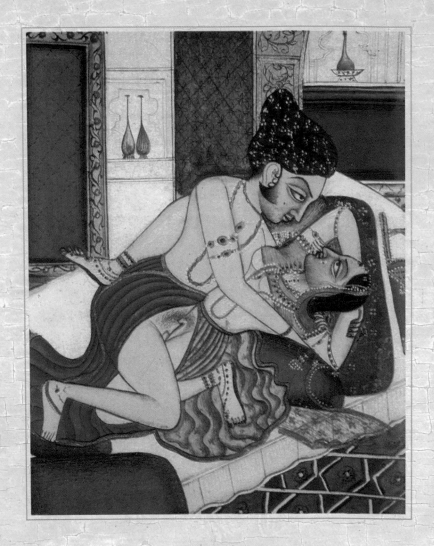

Todo lo realizado por un hombre para proporcionar placer a una mujer se llama "la tarea del hombre".

Posición que resulta de la combinación de la posición
de apoyo con el abrazo del enlazamiento
de una enredadera.

Una persona ingeniosa debe multiplicar las clases de relaciones
sexuales tomando ejemplo de las diferentes clases
de bestias y de aves.

Después del amor

Después del amor... podrán los amantes sentarse en la terraza de la casa y disfrutar de la luz de la luna y entregarse a una agradable conversación.

Distintas combinaciones de posiciones amatorias.

*Aunque una mujer sea reservada y mantenga ocultos
sus sentimientos, debe manifestarle a su amante
todo su amor y su deseo.*

El amor del yoga

Numerosas
posiciones amatorias
descriptas en el
KAMA SUTRA sólo
pueden ser
ejecutadas por
quienes practican
asiduamente
el yoga.

El amor múltiple

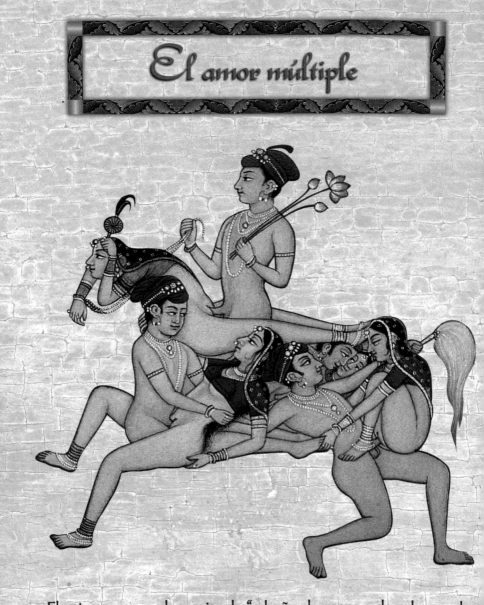

El acto amoroso denominado "rebaño de vacas o de cabras o de ciervos", o amor entre un hombre y varias mujeres, o entre varios hombres y mujeres.

Las diferentes clases de amor

Los hombres sabios opinan que el amor puede ser de cuatro clases.

1. El amor adquirido por un hábito continuado.

Es el amor que resulta de la ejecución práctica constante y permanente de un determinado acto o acción, como, por ejemplo, el amor por las relaciones sexuales, el amor por la bebida, el amor por el juego, etc.

2. El amor que resulta de la imaginación.

Es el amor que se siente por las cosas a las que no estamos acostumbrados, y que procede enteramente de las ideas, como, por ejemplo, el amor que se siente por besar, abrazar, etc.

3. El amor que resulta de la fe.

Es el amor mutuo y que ha probado ser verdadero, cuando cada cual mira al otro como si fuese él mismo.

4. El amor que resulta de la percepción de los objetos externos.

Es el más evidente y conocido por todos, puesto que el placer que proporciona es superior al placer de otras clases de amor, que existen sólo gracias a éste.

La Relación Sexual
(SESENTA Y CUATRO)

A ESTA PARTE DE LA OBRA SE LA HA DENOMINADO
SESENTA Y CUATRO, Y HAY MÚLTIPLES VERSIONES
ACERCA DE LA RAZÓN DE ESTE NOMBRE. VATSYAYANA OPINA
QUE NO HAY UN MOTIVO FUNDADO Y QUE FUE LLAMADA ASÍ
POR AZAR, TAL COMO SE LE DICE A UN ÁRBOL
"EL DE LAS SIETE HOJAS",
CUANDO ÉSTE NO TIENE ESE NÚMERO.

El abrazo

Todo el tema del abrazo es de una naturaleza tal que los hombres que preguntan, oyen o hablan sobre él sienten de inmediato un deseo de goce.

Las cuatro clases de abrazos

El abrazo, que indica el mutuo amor de un hombre y de una mujer que se han relacionado, es de cuatro clases.

1. El abrazo de contacto.

Cuando un hombre va adelante o al lado de una mujer y con cualquier pretexto toca su cuerpo con el suyo.

2. El abrazo de penetración.

Cuando en algún lugar solitario una mujer se inclina, como si fuera a recoger algo, y penetra, por así decirlo, con sus pechos a un hombre sentado o de pie, y éste a su vez sostiene el contacto, o los toca o los toma.

ESTAS DOS CLASES DE ABRAZO SE DAN SÓLO ENTRE PERSONAS QUE AÚN NO SE HABLAN CON ENTERA LIBERTAD.

3. El abrazo de frotamiento.

Cuando dos amantes pasean juntos lentamente, ya sea en la oscuridad o por algún lugar poco frecuentado o solitario, y sus cuerpos avanzan rozándose o se frotan entre sí.

4. El abrazo de opresión.

Cuando, en una ocasión semejante a las anteriores, uno de ellos oprime el cuerpo del otro contra una pared o una columna.

ESTOS DOS ÚLTIMOS ABRAZOS SON PROPIOS DE QUIENES CONOCEN MUTUAMENTE SUS INTENCIONES.

Abrazos en el momento del encuentro

EN EL MOMENTO DEL GOCE SEXUAL, DEBEN PRACTICARSE
INCLUSO AQUELLOS ABRAZOS NO MENCIONADOS EN EL
KAMA SUTRA, PERO QUE DE ALGUNA FORMA CONDUCEN A
UN AUMENTO DEL AMOR O LA PASIÓN.

En el momento del encuentro, se emplean otras cuatro clases de abrazos.

1. El enlazamiento de una enredadera.

Cuando una mujer se aferra a un hombre como una enredadera se enlaza a un árbol, y éste inclina su cabeza sobre la suya con intención de besarla mientras emite levemente murmullos, y ella lo abraza mirándolo amorosamente.

2. El escalamiento de un árbol.

Cuando una mujer, después de haber colocado uno de sus pies sobre el pie de su amante y rodeado uno de sus muslos con la otra pierna, pasa uno de sus brazos por su espalda y el otro por sus hombros mientras emite levemente sonidos de alguna canción y arrullos.

ESTAS DOS CLASES DE ABRAZO SE DAN
CUANDO EL AMANTE ESTÁ DE PIE.

3. El arroz con semillas de sésamo.

Cuando los amantes yacen sobre un lecho y se abrazan tan estrechamente que los brazos y los muslos de uno están circundados por los brazos y los muslos del otro, y se frotan uno contra el otro.

4. El abrazo de leche con agua.

Cuando un hombre y una mujer se aman violentamente y, sin pensar en el daño o el dolor, se abrazan como si sus cuerpos quisieran penetrarse mutuamente, mientras la mujer está sentada sobre las rodillas del hombre, o bien enfrente de él o en una cama.

ESTOS DOS TIPOS DE ABRAZO SE DAN EN EL MOMENTO DE LA UNIÓN SEXUAL.

El abrazo de los miembros

Existen cuatro formas de abrazar miembros del cuerpo.

1. El abrazo de los muslos.

Cuando uno de los amantes oprime violentamente uno o ambos muslos del otro entre los suyos.

2. El abrazo de las partes bajas.

Cuando el hombre oprime la parte del cuerpo de la mujer comprendida entre el ombligo y los muslos contra su propio cuerpo, y se monta sobre ella, ya sea para arañarla con la uña, o presionarla con el dedo, o para mordisquearla o para besarla.

3. El abrazo de los pechos.

Cuando un hombre coloca su pecho sobre los pechos de una mujer y la oprime con él.

4. El abrazo de la frente.

Cuando uno de los amantes toca la boca, los ojos y la frente del otro con la suya.

Algunos aseguran que incluso el masaje es una clase de abrazo, puesto que a través de él los cuerpos se tocan, pero yo opino que el masaje se realiza en otro momento y con otra finalidad. Y como también es de carácter diferente, no puede ser incluido entre los abrazos.

TODAS LAS NORMAS QUE PUEDAN ESTAR ENUNCIADAS EN ESTE LIBRO SE APLICAN CUANDO LA PASIÓN DEL HOMBRE NO ES MUY INTENSA, PERO UNA VEZ EN MOVIMIENTO LA RUEDA DEL AMOR NO EXISTEN YA NI NORMAS NI ORDEN.

El beso

Algunos afirman que no existe un orden ni un momento determinado entre el abrazo, el beso y la opresión o rasguño con las uñas o los dedos, pero generalmente todas estas cosas deben hacerse antes de la relación sexual, mientras que embates y gritos diversos corresponden al momento de la relación. Sin embargo, yo opino que cualquier cosa puede hacerse en cualquier momento, puesto que en el amor no hay un tiempo ni un orden preestablecidos.

En el momento del primer acto sexual, los besos y todo lo demás deben usarse moderadamente. No deben continuarse durante largo rato y deben practicarse alternadamente. No obstante, en las siguientes ocasiones puede suceder lo opuesto, y la moderación resultar innecesaria. Pueden continuar durante largo rato y ser usadas todas las formas simultáneamente, a fin de intensificar la pasión.

Los lugares para besar son los siguientes: la frente, los ojos, las mejillas, el cuello, el pecho del hombre, los pechos de la mujer, los labios y el interior de la boca. También las caras interiores de los muslos, los brazos y el ombligo, aunque opino que, aunque el beso en estos lugares sea usado conforme a la intensidad de la pasión, no resulta aconsejable para todos por igual.

Los besos para una mujer joven

Hay tres clases de besos en el caso de una muchacha joven.

1. El beso de palabra.

Cuando una muchacha toca la boca de su amante con la suya, pero sin hacer nada.

2. El beso palpitante.

Cuando una muchacha, dejando parcialmente de lado su timidez, desea tocar el labio apresado en su boca, y con este propósito mueve su labio inferior pero no el superior.

3. El beso de lengua.

Cuando una muchacha toca el labio de su amante con la lengua y, con los ojos cerrados, pone sus manos sobre las de su amante.

Otras clases de besos

1. El beso directo.

Cuando los labios de los dos amantes se ponen en contacto directo entre sí.

2. El beso inclinado.

Cuando las cabezas de ambos amantes están inclinadas una sobre la otra y, en tal posición, se besan.

3. El beso abrazo.

Cuando uno de los amantes gira la cabeza del otro, tomándolo por la cabeza y el mentón, para besarlo.

4. El beso de opresión.

Cuando el labio inferior es oprimido con mucha fuerza.

5. El beso de intensa opresión.

Cuando se toma el labio inferior del otro entre dos dedos y, después de haberlo tocado con la lengua, se lo oprime fuertemente con los labios.

6. El beso del labio superior.

Cuando un hombre besa el labio superior de una mujer mientras ella, a su vez, besa su labio inferior.

7. El beso de aspiración.

Cuando uno de los dos amantes toma ambos labios del otro entre los suyos. En relación a este beso hay que advertir que las mujeres sólo practican esta clase de beso con un hombre sin bigote.

Juego de besos

En cuestión de besos, puede jugarse a ver quién apresa antes los labios del otro. Si la mujer es la que pierde, simulará llorar, apartará de sí a su amante agitando sus manos, se dará vuelta dándole la espalda y lo azuzará a él pidiéndole que lo intenten otra vez. Si pierde de nuevo, simulará sentirse aún más entristecida y, cuando su amante esté distraído o dormido, tomará su labio inferior entre sus dientes para que no pueda zafarse y se echará a reír, hará fuertes ruidos, se burlará, y después bailará en torno de él y dirá cuanto se le ocurra burlonamente, enarcando sus cejas y girando sus ojos.

Y éstos son los juegos y disputas concernientes al beso, también aplicables a la opresión o al rasguño con las uñas y los dedos, a los mordiscos y a los golpes, aunque estos últimos son sólo privativos de hombres y mujeres de pasión intensa.

Acerca de los besos

El beso es de cuatro clases: moderado, contraído, oprimente o suave, según las partes del cuerpo que se besen, puesto que las diferentes clases de besos resultan apropiadas para diferentes partes del cuerpo.

Cuando una mujer besa el rostro de su amante mientras duerme, y lo hace para evidenciar su intención o su deseo de amar, esto se llama un <u>beso que aviva el amor</u>.

Cuando una mujer besa a su amante mientras éste está ocupado trabajando, o discutiendo con ella, o abstraído en alguna cosa, y logra distraer su atención, éste se llama beso que distrae la atención.

Cuando un amante vuelve a altas horas de la noche a casa y besa a su amada, que está dormida en su lecho, para indicarle que la desea, éste se llama beso que despierta. En una ocasión así, la mujer puede simular que duerme al llegar su amante con el fin de conocer sus intenciones y ganarse su estima al responder a su llamado.

Cuando una persona besa el reflejo de la persona que ama en un espejo, o en la superficie del agua, o su sombra sobre un muro, éste se llama beso que muestra la intención.

Cuando una persona besa a un niño sentado sobre sus rodillas, o un dibujo, o una imagen o una figura en presencia de la persona amada, éste se llama beso transferido.

Cuando por la noche en el teatro, o en una reunión en su propia casa, un hombre pasa ante una mujer y le besa un dedo de la mano si está de pie, o un dedo del pie si está sentada, o cuando una mujer, al masajear el cuerpo de su amante, pone su cara sobre su muslo (como si estuviera dormida) con el fin de encender y avivar su pasión, y besa su muslo o su dedo gordo del pie, éste se llama <u>beso demostrativo</u>.

CUALESQUIERA QUE FUESEN LAS COSAS
HECHAS POR UNO DE LOS AMANTES
AL OTRO, SI LA MUJER LO BESA, ÉL A SU VEZ
DEBERÁ BESARLA; SI ELLA LO GOLPEA,
ÉL DEBERÁ DEVOLVERLE EL GOLPE.

La presión, las marcas o los rasguños con las uñas

Cuando el amor se vuelve más intenso, se practica la presión o rasguño con las uñas. Esto puede hacerse en las siguientes ocasiones: durante la primera visita, al prepararse para un viaje, en el momento en el que un amante enfadado se reconcilia, cuando la mujer padece una intoxicación.

Pero la presión con las uñas no es habitual, excepto para aquéllos intensamente apasionados. La emplean, junto con los mordiscos, aquéllos a quienes su práctica resulta agradable.

Las presiones con las uñas

La presión con las uñas es de ocho clases, según las marcas que produce.

1. Sonora.

Cuando una persona presiona el mentón, los pechos, el labio inferior o las partes bajas de otra con tal suavidad que no deja marcas ni rasguños, y sólo el vello del cuerpo sufre una erección por el roce de las uñas, y las propias uñas emiten un sonido.

2. De media luna.

Son las marcas curvas impresas sobre el cuello y los pechos.

3. En círculo.

Cuando las medias lunas quedan impresas una frente a otra. Esta marca con las uñas se hace generalmente sobre el ombligo, las pequeñas cavidades en torno de las nalgas y las caras interiores de los muslos.

4. En línea.

Es una marca con forma de pequeña línea, que puede realizarse en cualquier parte del cuerpo.

5. Como garra de tigre.

Es la marca en línea, cuando ésta es curva y queda marcada sobre el pecho.

6. Como pisada de pavo real.

Es cuando se deja una marca curva sobre el pecho empleando para ello las cinco uñas de una mano. Esta marca se realiza con la finalidad de ser elogiado, ya que se requiere de una gran habilidad para realizarla correctamente.

7. Como el salto de una liebre.

Cuando se efectúan cinco marcas con las uñas, cerca de los pezones y próximas entre sí.

8. Como la hoja de un loto azul.

Es una marca sobre el pecho o las caderas hecha con forma de loto azul.

9. Señal de recuerdo.

Es una marca que se hace con las uñas sobre el pecho o las caderas y se efectúa cuando una persona va a emprender un largo viaje.

Pueden hacerse otras clases de marcas, además de las mencionadas, porque los autores antiguos dicen que, así como los grados de destreza entre los hombres son innumerables, también son innumerables las maneras de hacer estas marcas. Y como la presión o marca con las uñas depende del amor, nadie podría decir con certeza cuántas clases de marcas con las uñas existen realmente. Y esto es así porque, del mismo modo en que la variedad es necesaria en el amor, el amor se alcanza por medio de la variedad.

Los lugares que deben oprimirse con las uñas son: la axila, el cuello, los pechos, los labios, las partes bajas de la mujer y los muslos. Pero un autor opina que cuando el ímpetu de la pasión es excesivo, puede omitirse la consideración de los lugares.

Las buenas uñas requieren las siguientes cualidades: estar bien dispuestas y ser brillantes, limpias, enteras, convexas, suaves y pulidas.

Según su tamaño, las uñas pueden ser pequeñas (pueden usarse de distintas maneras, pero sólo con el objeto de proporcionar placer), medianas (poseen las propiedades de las chicas y las grandes), y grandes (dan encanto a las manos, y, por su aspecto, atraen los corazones de las mujeres).

No debe marcarse con las uñas a las mujeres casadas, aunque podrían dejarse marcas de tipo particular en sus partes íntimas como recuerdo y para intensificar su amor.

CUANDO UN EXTRAÑO VE DE LEJOS A UNA
MUCHACHA CON MARCAS DE UÑAS EN SU PECHO,
SIENTE AMOR Y RESPETO POR ELLA.

El amor de una mujer que ve las marcas de las uñas
en las partes íntimas de su cuerpo,
incluso cuando son antiguas y están casi borradas,
se renueva. Si no hubiese marcas de uñas para
recordar a una persona los pasos del amor,
entonces el amor disminuiría,
como ocurre cuando no existe
relación durante un largo tiempo.

Un hombre portador de marcas de uñas
y dientes en algunas partes de su cuerpo
influye en el ánimo de una mujer,
aunque ésta preserve su firmeza.

Nada tiende a aumentar tanto el amor
como los efectos de las marcas hechas
con las uñas y los dientes.

Los mordiscos

Todos los lugares pueden ser besados, y también todos los lugares pueden ser mordidos, con excepción del labio superior, el interior de la boca y los ojos.

Entre las acciones antes mencionadas, como el abrazo, el beso, los rasguños, primero deben hacerse aquellas que intensifican la pasión y después aquellas que sólo sirven para la variedad y el entretenimiento.

CUANDO UN HOMBRE MUERDE A UNA MUJER VIOLENTAMENTE,
ELLA DEBERÍA CORRESPONDERLE ENOJADA CON MÁS VIOLENCIA.
SI EL MORDERSE UNO AL OTRO EN REPRESALIA FUERA MUY FUERTE
PARA LA MUJER, ÉSTA DEBERÁ INICIAR DE INMEDIATO UNA PELEA
AMOROSA: TOMARÁ A SU AMANTE POR EL PELO, LO OBLIGARÁ A
INCLINAR LA CABEZA, LO BESARÁ EN EL LABIO INFERIOR Y LUEGO,
INTOXICADA DE AMOR, CERRARÁ LOS OJOS Y LO MORDERÁ EN
DIVERSAS PARTES.
INCLUSO DE DÍA Y EN UN LUGAR PÚBLICO,
AL MOSTRARLE SU AMANTE CUALQUIER MARCA
QUE ELLA PUEDA HABERLE PRODUCIDO EN SU CUERPO,
SONREIRÁ AL RECONOCERLA, Y VOLVIENDO SU ROSTRO
EN ACTITUD DE REGAÑARLO, LE MOSTRARÁ CON AIRE DE ENOJO
LAS MARCAS QUE ÉL HAYA PODIDO DEJAR EN SU PROPIO CUERPO.
DE ESTA MANERA, SI HOMBRES Y MUJERES ACTÚAN CONFORME A
SU DESEO, SU AMOR MUTUO NO DISMINUIRÁ,
AUNQUE TRANSCURRAN CIEN AÑOS.

Los golpes y las palabras

UNA VEZ INICIADO EL ACTO DEL AMOR, SÓLO LA PASIÓN
REGULA LOS ACTOS DE LOS PROTAGONISTAS.

Las relaciones sexuales son comparables a una disputa, debido a las contrariedades del amor y de su tendencia a degenerar en peleas.

El lugar para golpear con pasión es el cuerpo, y hay partes especiales del cuerpo en las que deben aplicarse los golpes.

Al causar cierto dolor, los golpes originan un sonido siseante como respuesta, y varias clases de quejidos.

Existen además palabras que tienen un significado, como "madre", y otros que expresan prohibición, suficiencia, deseo de liberación, dolor o alabanza.

La opresión de ciertas partes y los golpes durante la relación sexual, especialmente en los momentos de mayor desenfreno por la excitación, intensifican ésta, y son acompañados por la emisión de sonidos, de quejidos o la exclamación de palabras.

EN EL ARDOR DE LA RELACIÓN AMOROSA,
UNA PAREJA SE ENCEGUECE CON LA PASIÓN Y PROSIGUE
CON GRAN IMPETUOSIDAD, SIN PRESTAR LA MENOR
ATENCIÓN A LOS EXCESOS.

SE CONSIDERA QUE LAS CARACTERÍSTICAS DE LA
VIRILIDAD SON LA RUDEZA Y LA IMPETUOSIDAD,
MIENTRAS QUE LA DEBILIDAD, LA TERNURA,
LA SENSIBILIDAD Y UNA INCLINACIÓN A APARTARSE
DE LAS COSAS DESAGRADABLES SERÍAN
LAS MARCAS DISTINTIVAS DE LA FEMINEIDAD.
LA EXCITACIÓN DE LA PASIÓN Y LAS PECULIARIDADES
DE LA COSTUMBRE PUEDEN PROVOCAR A VECES
LA APARICIÓN DE RESULTADOS OPUESTOS,
PERO ÉSTOS NO DURAN MUCHO TIEMPO Y,
POR FIN, SE RETORNA AL ESTADO NATURAL.

LAS ACCIONES APASIONADAS Y LAS GESTICULACIONES
PROPIAS DEL AMOR, O LOS MOVIMIENTOS Y ACTITUDES
SURGIDOS DE LA EXCITACIÓN DEL MOMENTO Y DURANTE
LA RELACIÓN SEXUAL, NO PUEDEN SER DEFINIDOS Y SON
TAN IRREGULARES COMO LOS SUEÑOS.

QUIEN ESTÁ FAMILIARIZADO CON LA CIENCIA DEL
AMOR Y CONOZCA SU PROPIA FUERZA, ASÍ COMO LA
TERNURA, LA IMPETUOSIDAD Y LA FUERZA DE UNA
MUJER JOVEN, ACTUARÁ CONFORME A ELLAS.
LAS DISTINTAS FORMAS DE GOCE NO SON ADECUADAS
PARA TODAS LAS OCASIONES Y TODAS LAS PERSONAS,
SINO QUE DEBEN EMPLEARSE EN LOS MOMENTOS Y
LUGARES ADECUADOS.

Las diferentes formas
de hacer el amor

En una relación sexual alta, la mujer-cierva, que es aquélla de yoni más estrecho y poco profundo, ha de acostarse de tal modo que su yoni se ensanche; mientras que en una relación sexual baja, la mujer-elefanta lo hará de tal modo que su yoni se estreche o contraiga. En una relación igual, los dos amantes deben acostarse en la misma posición. Lo dicho sobre la mujer-cierva y la mujer-elefanta se aplica también a la mujer-yegua.

EN UNA RELACIÓN SEXUAL BAJA SE RECOMIENDA
QUE LA MUJER USE ALGÚN TIPO DE AYUDA PARA
QUE SU DESEO PUEDA SATISFACERSE RÁPIDAMENTE.

Veamos ahora las posiciones para hacer el amor.

1. La posición ampliamente abierta.

Cuando la mujer baja la cabeza y eleva la parte media de su cuerpo. En esta posición se suele recomendar al hombre el uso de algún ungüento para facilitar la penetración.

2. La posición abierta.

Cuando la mujer eleva sus muslos y los mantiene separados para iniciar el acto sexual.

3. La posición de Indrani.

Cuando la mujer coloca sus muslos con las piernas dobladas sobre ellos, a sus lados.

4. La posición de abrochamiento.

Cuando las piernas de ambos, hombre y mujer, se extienden unas sobre otras. Puede ser de dos clases: con el cuerpo del hombre sobre el de la mujer o viceversa, o cuando los dos están unidos lateralmente. En este caso, el hombre debe invariablemente recostarse sobre su costado izquierdo y la mujer sobre el derecho, y esta regla debe ser observada por todos los hombres cuando se acuestan de este modo con toda clase de mujeres.

5. La posición de apresamiento.

Cuando, después de haber iniciado el acto sexual en la posición de abrochamiento, la mujer apresa o retiene al hombre con sus muslos.

6. La posición de enlazamiento.

Cuando la mujer cruza uno de sus muslos sobre el muslo del amante.

7. La posición de la yegua.

Cuando, una vez efectuada la penetración, la mujer retiene fuertemente el linga en su yoni.

8. La posición elevada.

Cuando la mujer extiende ambos muslos levantando sus piernas.

9. La posición muy abierta.

Cuando la mujer levanta ambas piernas y las coloca sobre los hombros de su amante.

10. La posición de opresión.

Cuando las piernas de la mujer están contraídas, plegadas, y el amante las recibe de ese modo contra su pecho.

11. La posición de opresión media.

Cuando la mujer extiende sólo una de sus piernas.

12. La posición de la hendidura de un bambú.

Cuando la mujer coloca una de sus piernas sobre uno de los hombros del amante, y extiende la otra, y continúa haciéndolo alternativamente.

13. La posición de la colocación de un clavo.

Cuando la mujer coloca una de sus piernas sobre la cabeza y extiende la otra. Esta posición se logra con mucha práctica y a partir de las posiciones del yoga.

14. La posición del cangrejo.

Cuando ambas piernas de la mujer están contraídas y colocadas sobre su estómago.

15. La posición de carga.

Cuando los muslos están levantados y colocados uno sobre el otro.

16. La posición del loto.

Cuando los tobillos están colocados uno sobre otro. Ésta es una posición que sólo pueden encarar los iniciados y practicantes del yoga.

17. La posición giratoria.

Cuando un hombre se vuelve o gira durante el acto sexual y goza de la mujer sin abandonarla, mientras ella continúa abrazándolo durante todo el tiempo. También esta posición se aprende con mucha práctica.

UN AUTOR ANTIGUO ASEGURA QUE ESTAS DISTINTAS
MANERAS DE HACER EL AMOR, ACOSTADOS, SENTADOS O
DE PIE, DEBEN PRACTICARSE EN EL AGUA, PUESTO QUE ASÍ
RESULTARÁ MÁS FÁCIL. YO, VATSYAYANA, OPINO QUE LA
RELACIÓN SEXUAL EN EL AGUA NO ES ACONSEJABLE.

18. La posición de apoyo.

Cuando un hombre y una mujer se apoyan mutuamente en sus cuerpos, o contra una pared, y
de este modo inician el acto sexual de pie.

19. La posición suspendida.

Cuando un hombre se apoya contra una pared
y la mujer está sentada sobre sus manos enlaza-
das, o abrazada a su cuello, y apresando su cin-
tura con los muslos se impulsa moviéndose mediante sus pies que tocan la pared sobre la que
el hombre está apoyado.

20. La posición de la vaca.

Cuando una mujer se apoya sobre pies y manos, como "en cuatro patas", y su amante se
monta sobre ella como un toro. En este caso, todo lo que comúnmente se realiza sobre el pecho
debe hacerse sobre la espalda.

Del mismo modo, puede realizarse el acto sexual del perro, de un chivo, de un ciervo, de un
gato, el asalto de un tigre, la presión de un ele-

fante, el montar de un caballo o el violento montar de un burro. En todos estos casos, deben manifestarse las características de estos animales, asemejándose al comportamiento sexual de ellos.

21. La posición unida.

Cuando un hombre goza de dos mujeres a la vez y ambas lo aman por igual.

22. La posición del rebaño de vacas.

Cuando un hombre goza de varias mujeres a la vez. Siempre imitando la conducta de los animales, en esta posición pueden efectuarse también actos sexuales como el del elefante con varias elefantas, la del rebaño de cabras, o la del rebaño de ciervos.

23. La posición anal.

Es la relación más baja de todas.

UNA PERSONA IMAGINATIVA DEBE MULTIPLICAR
LAS FORMAS DE HACER EL AMOR, TOMANDO COMO EJEMPLO LAS
DIFERENTES CLASES DE ANIMALES. ESTE TIPO DE POSICIONES
Y FORMAS DE HACER EL AMOR DESPIERTAN
EL AMOR Y EL RESPETO EN LOS CORAZONES DE LAS MUJERES.

Las tareas amorosas de un hombre

Cuando una mujer advierte que su amante se encuentra fatigado por una relación prolongada, sin haber conseguido satisfacer su deseo, obtendrá su consentimiento para ponerlo de espaldas y representará ella el papel de él. Esto también puede hacerlo para satisfacer la curiosidad de su amante o su propio deseo de algo nuevo.

Todo lo hecho por un hombre para proporcionar placer a una mujer se llama la tarea de un hombre.

Mientras la mujer está recostada en el lecho y se la ve abstraída por la conversación, él aflojará los lazos de su ropa interior y, cuando comience a protestar por ello, la abrumará con sus besos. Cuando su linga haya llegado a la erección, la tocará en diversos lugares y acariciará suavemente diversas partes de su cuerpo.

Si la mujer es tímida y es la primera vez que están juntos, el hombre colocará sus manos sobre sus muslos, los que ella seguramente mantiene apretados entre sí, y si es una muchacha muy joven, debe posar primero su mano sobre sus pechos, bajo las axilas y en el cuello. Si por el contrario es una mujer madura, debe hacer lo más apropiado según las circunstancias. Después tomará su cabellera y su mentón con el propósito

de besarla. En ese caso, si es una muchacha joven, se sentirá avergonzada y cerrará los ojos.
Como quiera que fuese, deberá deducir de las acciones de la mujer qué cosas podrían proporcionarle un placer mayor durante la relación sexual.

SEGÚN UN AUTOR ANTIGUO, AUNQUE UN HOMBRE HAGA
A UNA MUJER LO QUE SE LE ANTOJE DURANTE LA RELACIÓN SEXUAL,
DEBE ACORDARSE SIEMPRE DE OPRIMIR AQUELLAS PARTES
DE SU CUERPO HACIA LAS CUALES ELLA VUELVE SUS OJOS.

Las señales del goce y la satisfacción en la mujer son las siguientes: su cuerpo se relaja, sus
ojos se cierran, deja de lado todo pudor y se
muestra cada vez más deseosa de unir los dos
órganos tanto como sea posible. Por otro lado, las
señales de la ausencia de goce y fracaso para satisfacerse son las siguientes: agita sus manos, no
permite al hombre incorporarse, se la ve afligida,
muerde al hombre, lo patea y continúa moviéndose después que el hombre ha concluido. En estos casos, el hombre frotará la yoni de la mujer
con su mano y sus dedos (como el elefante fric-
ciona todo con su trompa), antes de iniciar la relación sexual, hasta que se humedezca, y luego
procederá a introducir su linga en ella.

AUNQUE UNA MUJER SEA RESERVADA Y MANTENGA OCULTOS SUS
SENTIMIENTOS, AL COLOCARSE ENCIMA DE UN HOMBRE DEBE MANIFESTARLE
TODO SU AMOR Y DESEO. DE LAS ACCIONES DE LA MUJER, UN HOMBRE
DEDUCIRÁ CUÁL ES SU DISPOSICIÓN Y DE QUÉ MODO DESEA SER GOZADA.

Índice